KB062568

노루귀

나석중 시선집

노루귀

도서출판 b

| 시인의 말 |

나의 시는 태반이 작자 미상의 자연을 베꼈다. 여덟 권의 시집에서 한 권의 시집을 위한 선별 작업은 난감했다. 사랑하는 자식들 중에 더 사랑하는 자식을 세우는 민망한 일이었다. 아홉 번째 시집을 내고 선집 하나로 남겨 시 쓰기를 마칠까 생각했지만 이미 시작한 일이라 결행하게 되었다. 작품을 뒤섞어 4부로 나누었으며 일부 작품은 터럭 한 올만큼 손보기도 하였으나 매번 뭔가 부족한 것 같은 느낌을 속일 수가 없다. 그러나 후련하다. 미루었던 숙제 하나를 풀었다. 언제까지 시 쓰는 축복을 누릴지는 모르나 내년에는 아홉 번째 시집을 보게 될 것 같은 열정으로 충만하다.

| 차 례 |

제2부 아우를 소나무라 불렀다

제3부 저녁이 슬그머니

제4부 구름 위를 걸었다

제1부

꽃을 경을 읽었다

작은 꽃

이것도 꽃이더냐
간신히 피었다는 생각이 든다

포기하지 않고
핀 꽃은 눈물이 난다

바늘귀만 한 작은 꽃이라고 해서
작은 꽃이 아니다

잊지 말라고 눈에 들어박혀서
작은 꽃은 아프다

노루귀*

너무 아득한 산속은 말고
너무 비탈진 장소도 말고

실낱같이라도 물소리 넘어오는 곳
간간이 인기척도 들려오는 곳
메마른 설움도 푹 적시기 좋은 곳

귀 하나는 저승에다 대고
귀 하나는 이승에다 대고

* 미나리아재빗과에 속하는 다년생초. 잎보다 꽃이 먼저 핀다.

시작詩作

갈대는
갈 때가 되었다고 흔들리는 게 아니다

바람이
갈대의 혼신을 빌어 유서를 쓰는 게다

저 고요의 백지장에 쓰는 바람의 유서가
구구절절 명편으로 죽었던 영혼을 흔든다

일생의 최후에 비로소 면목을 드러내는
바람은

우화羽化

들꽃 찾아가는 한적한 길
숲 그늘에 빈 목관 하나 걸려 있다
섬뜩했으나 그것은 빈 고치일 뿐
오랜 죽음에서 깨어나
새 날개를 얻어서 날아간 이는 누군지
이제는 내가 빈 고치 안에 들어가 눕는다
바람이 뚜껑을 덮고 텅텅 못질을 한다
죽은 다음에야 죽음을 알겠지만
이대로 영원한 잠에 든다면 관 밖
기억을 사로잡는 세상의 그립고 낯익은 것들
과연 망각의 두려움을 잊을 수 있을까
웅크리고 파들던 유년의 아랫목 같아
사람의 끝이 무섭지는 않다

절정 絶頂

의무를 마친 것들은 아름답다

홀가분하다, 홀가분하다

두려움 없이 몸을 던지는

뭇 시선을 사로잡는 단풍잎들

속리에서 속리를 벗다

독사들은
계절을 잊고 말끝마다 누굴 팔아먹는다

석산*이 불을 들고 나왔으므로
어린 광대나물들이 꽃을 피운다는 게
눈물을 글썽이고 있다

황금을 입은 거대 불상이 하늘을 찌르므로
속리산의
바위에 새긴 마애불상이 웃고 있다

법주사를
기웃거리던 뜬구름이 동으로 떠나고 있다

* 꽃무릇의 정명.

물레나물*

하나님 어머니의
이 속눈썹 뽑아 들고
황혼의 콧구멍을 간질이면
나는, 나는
어머니가 돌리던 물레 소리를
가질 수 있을까
마냥 저 혼자 취해서 돌던
먼 바람개비나 들고
달릴 수 있을까

* 물레나물과의 여러해살이풀, 다섯 장의 노란 꽃잎이 한쪽 방향으로 치우쳐 물레바퀴를 닮았고 꽃술이 길고 수북하다.

풀꽃 독경

어제는 은꿩의다리를 찾아 읽고
오늘은 금꿩의다리를 찾아 읽네
야생의 풀꽃 경經에 빠지다 보면
더러 한 끼의 밥때를 놓치는 마당에
외로움이란 감정의 사치에 불과한 것
돌이든 풀꽃이든 詩든
거기에 마음 앗기다 보면
백수 같은 외로움 맞아 놀아날 새 없네
강아지풀을 보면 나도 강아지풀이나 되어서
무엇이 좋다고 저렇게 꼬리를 흔들흔들
세상에 있는 듯 없는 듯 살고 싶은데
강아지풀 너도 나를 보면
산으로 들로 쏘다니고 싶은 거냐
장마 그치고 바야흐로 가을로 들어섰지만
이제야말로 연애하기 좋은 시절이듯
매미들 시퍼런 소리 갈아대며 극성인데
숲속 오솔길 거침없이 솟아오른
깨벗은 무릇 한 쌍이

나를 조금 부끄럽게 하네

나이테를 위한 변명

그의 일생은 어느 여름날
심심해서 던진 물수제비 흔적이 아니었다
그건 나무의 울음이었다
나무가 울고 간 파문이었다

붙박이 삶이라고
사는 것이 다 고만고만한 나무는
슬프고 괴로울 것 없을 것이라 단정하지만
뿌리는
하루에도 몇 리를 물 길러 나갔다 와서
끙끙 앓는 것이었다
생이 아파 우는 것이었다
저 수만 마리 이파리 뙤약볕 아래 나와서
아우성치고 있었던 것이었다

그 우듬지에 새 둥지를
무상으로 세 들이고 바깥소식을 듣긴 하지만
저 산 너머가 궁금하여

마음으로 가서 세상을 읽고 오는 것이었다

한 덩이 파문을 던져보는 것이 소원인
나무는

애기똥풀

응애응애
넘치는 울음 못

배 아파 누운 어머니들
약 한 첩 못 쓰고
보릿고개 아래 묻은 저

꽃으로 태어난
갓난이들

* 보릿고개 시절에는 어머니들의 중절 수술이 많았다.

굳세어라 금순아
–생강나무

이 생강나무꽃이란 게
부랴부랴 잎 내기 전에 꽃부터 피우는 게
물 밖에 나올 일 없는 성게 어린것들만 같다
고향을 등지던 피난 시절 떠올라
굳세어라 금순아* 한 소절 부르며 괜히 서러워진다
상처에서 생강生薑 냄새난다고 생강나무라 부르지만
나는 굳셀 강剛을 바쳐 생강나무라 부르고 싶은데
이 나무를 별칭 산동백이라고 부르기도 하여서
문득 칠흑 머릿결에 피어오르던 동백기름 반짝인다
푸른 경대 앞에
쪼그려 앉아 쪽을 지시던
젊었을 적 단아한 어머니 모습 자꾸만 떠올라서
어머니
남모를 오랜 고생 끝에 노랑 저고리 아롱다롱
가지마다 서러워진다

* 강해인 작사 노랫말에서 빌림.

겨우살이

하늘에 빌붙어서 겨우겨우 살아내는
당신의 봄 여름 갈 겨울 없는 통증의 사계절

목에 구멍을 뚫어 밥 먹지 않아도
하루에도 몇 차례 고비사막을 넘는 당신

하늘에 별을 쏘아 올리는 머리로도
풀 듯 풀 듯 못 푸는 지상의 숙제라니!

확 달려드는 이 생강나무꽃을 어찌할까요
당신이 아프니 나의 봄도 아픕니다

자작나무 인생

흰 허물을 벗는 것은
전생이 뱀이었기 때문이다

배때기로 흙을 기는 고통보다
붙박이로 서 있는 고통이 더 크리라

눈은 있어도 보지 않는다
입은 있어도 말하지 않는다

속죄를 해도 해도 죄는 남고
허물 벗는 참회의 일생을 누가 알리

몸에 불 들어올 때나 비로소
자작자작 소리를 내는

밤꽃

초면에 말 붙여 오는
당당한 사랑은 들키고 싶은 속성이 있는 것인지

겹겹으로 무장한 밤톨 같은 노인이 획 돌아보며
묻지도 않았는데 당신 나이 올해 96세라 하시네
나 당신 뒤를 걸어가다가 순간 황당했으나
이내 어디 가시느냐고 웃으며 물었더니
애인 만나러 간다며 밤꽃을 피웠네
애인은 연세가 얼만지 또 물으니 90이라 하시며
왜 무슨 할 말이라도 있나? 는 듯
눈 치켜뜨고 기세도 당당히 웃는 낯빛이 붉었네

일찍 사랑을 포기한 사내는 사내도 아니라고 난
느슨한 허리띠 졸라맸네.

문득

물방울 한 방울 이마에
떨어졌네

내가 산길을 무심코 내려오는
그 지점

나무도 얼떨결에 손 뻗쳐
무거운 물방울 내려놓는 그 순간

톡,
떨어져 앞이 환해졌네

그가 먼저 걸어간 것 같다

때맞춰 집을 나선다
가뭄 끝에 오는 비를 우산 받고 걷는 일이
미안하다
오솔길 가에 떼지어 오글거리는 어린 질경이들이
젖을 갓 뗀 아기같이 살 오르는 걸 보는
내 야윈 영혼도 살 오를 것 같다
소음 굴러가는 큰길 건너서 산성 오르막길에 접어든다
길 하나 건너가 다른 세상인
먼지 날던 길바닥이 젖고 빗물에 씻기는 숲 아래를 걷는
이 한나절을 특별히 감사하고 싶다
때로는 두렵고 속절없지만
아무래도 그가 먼저 걸어간 것 같다
한 걸음 더 멀리 다가갈수록 뒷걸음치는 저 낮달
걷던 길 끝에 길을 이어 더 멀리 가고 싶다
잰걸음으로 가면 앞에 가는 그를
꼭 만날 것만 같다

죽순밭에서

달콤씁쓸한 온갖 소문의 진원지

닭 잡아먹고 오리발 내놓는 저 왕성한 정력

쭈뼛쭈뼛 들어내 놓는 저 발톱

선선히 부러지지 않고 짜그라지는 저 똥고집

마디마디 차올라

고절高節이라 부르는 뾰족한 명성

청산도

멀리서 다가드는 청산도는
바다의 잇몸 같다
잇몸 같은 청산도에서는
육자배기라도 미친 척 흥얼거릴 줄 알아야 하는데
술래가 되었던 슬픔과 외로움이
독살에 갇혀 파닥인다
목을 찢고 맨땅을 걸어오는 서편제
초장을 거쳐 골장에 든 고인돌
이쯤에서 빈 주막은 목을 적신다
으르렁거리는 범바위에 다가서 보면
절벽 아래는 아득한 장기미 해변
검은 거북바위가 젖은 몸 말리고 있다
뭔가 비밀스러운 기슭엔 사란의 취락시라는 귀띔으로도
들꽃에 떠돌던 나비의 심금은 떨린다
옛사람의 지혜로 뚫린 구들장논의 눈구멍은 휑했고
초면인 상서리 늙은 돌담길에는
오늘만은 외지인도 환영한다고
백화등이 낮게 피어 있었다

촉감

내 잠을 스쳐 가는 빗소리
앞마당 묵은 살구나무가 머리를 감고 있다

옷을 벗고 마당에 나와
맨몸으로 가뭄 끝 단비를 맞는다

누가 헝클어진 내 머리를 쓰다듬는다
차디찬 볼을 핥아 주던 따뜻한 염소 혓바닥

사랑에 주린 사람이 아니라면 알지 못하리
한밤중에 와 닿는 비의 손끝

동백꽃

구름의 수염을 벌겋게 태우고 있는 서녘 해가
슬픈 눈으로 해금강 언덕배기를 마지막 바라볼 때

동박새는 동백 숲을 들락날락
쌀 씻어 늦은 저녁밥을 안치듯
얇고 가느다란 제 울음 자리마다 새빨간 동백꽃을 낳고

몽돌은 딸그락딸그락 용맹정진
밤새 누구의 불면이 객혈을 했나
아침 안갯길은 어질어질 현기증

해금강 기슭에 내려가 모셔온 돌 하나 바라보며
문득 세월의 갈피에 붙어난 기억으로 웃어보는 저녁

서녘에 잠기는 저 한 송이 붉은 꽃이

푸르른 저 하늘
뜬구름에 실려서 가는 정처 없는 내 마음은
한바탕 소나기가 되든지
한 방울 눈물의 소생을 보리라
세상에 툭 던져 난 나그네 아닌 나그네 없으니
날 저물어 유숙하는 곳이 내 집이다
유숙할 곳 있는 것만으로도 내 마음아
하늘 우러러 고마워하라
가뭄에 비 뿌릴 듯한 구름을 나는 믿지 않는다
구름의 웅변 구름의 독설
구름의 유정에 얼마나 속았느냐
인제는 내 마음아 실망하려거든 믿지를 마라
생의 가장 낮은 자리에서 바라보는
서녘에 잠기는 저 한 송이 붉은 꽃이
한세상을 공짜로 산 것 같지 않았느냐 불현듯
나에게 묻는다

제2부

아우를 소나무라 불렀다

지갑

이젠 채우기보다
꺼내 베풀어야 할 때야
옆구리 터져 너덜너덜한 지갑
푼돈 몇 푼으로 견딘 허기진 세월
불평불만 한 번 뱉지 않고
묵묵히 동거해온 지가 어언 20여 년
아비는 지갑의 신하가 되지 못하고
아비는 지갑을 잘 모시지 못하고
아비는 그래서 가난한지
지갑을 선물 받을 때
배부른 지갑이 되어달라는 뜻이었겠지만
정작 너를 위해서는
한 번도 열어보지 못한 지갑
인제 그만 버릴까 말까 하다가도
딸내미 얼굴이 어른거려서
한참을 만져본다

아프지 마라

아프지 마라
아프면 희망도 아파

괜찮겠지, 괜찮겠지
여태 하던 가게 문도 닫고

집도 줄이고 줄여서
아주 변두리로 밀렸다지만

질경이만큼 잘 버텨왔잖아
제발 아프지만 마라

아들이 아프면 희망도
아버지도 아파

주택연금

뜬금없이
큰애 전화라는 게
아버지 주택연금을 드시라고

그렇게 너는 말했으나
왜 모르랴
네 지금 많이 고달프다는 걸
이제는 더 이상
아비 돌볼 여력이 없다는 걸
그래서 결심했고
코딱지만 한 집이지만
아들 말대로 연금에 가입해서

야금야금 늙어간다
곶감처럼
잔고를 빼 먹 는 다

창

열어놓은 창을 통하여
옆집 갓난이 울음소리가 나팔꽃처럼 넘어온다
배가 고픈지 무서운 꿈을 꾸었는지
보채며 우는 아가 울음소리에도 애 엄마는 어디 갔는지
울음소리는 더더욱 가시에 찔린 듯 자지러진다
안타까움을 넘어 은근히 부아 끓어오르고 가슴 졸이고
지금 한밤중 남한산성 너머 잠 멀리 달아났어도 아가야
제발 소용없는 울음을 멈추어라 아가야,
나는 아가를 마음으로 보듬고 간절히 다독여준다
아가는 울면서도 창 넘어간 내 마음을 받았는지
금세 거짓말처럼 조용해진다. 적막해진다
옆집 아가는 신통하다. 나도 마음의 창 열어놓고
집 나간 그를 맞아야겠다

입정入定

쥐 오줌 얼룩진 방 천장을
파리 한 마리가 겨우 받치고 있다

손을 놓으면
천장이 주저앉을 듯 끙끙 떠받치고 있다

더 자세히 올려다보니
파리의 빈 껍질이 그대로 말라 있다

오히려 천장이 파리의 초라한 박제를
안간힘으로 끌어 잡고 있다

가정家庭

장독대를 보니 장독대가 그리워져
언저리에는 별꽃부터 차례로 왔어

한낮에는 낮달이 간장독을 열어보고 갔지
암탉이 장독대 그늘에 알을 급히 낳고
맨드라미는 볏을 들고 괜히 붉어졌지

빈 장독은 밑바닥에 원을 눌러놓고
잔 실뿌리 같은 목숨과 지렁이를 다독였지
귀뚜라미가 제일 맑은 소리를 냈어

보릿고개 넘어온 겨울 아침의 고요
고봉밥을 퍼 올리던 장독대가 보고 싶어
저 혼자 늙어가는 냉장고는 서글퍼

문득, 옹기종기 장독대가 그리워져

느티나무

괜찮다
몸 한구석에 귀뚜라미가 울어도

보이지도 않는 귀뚜라미는 왜 와서 우는지
요즈음 보이지도 않는 아들에게 섭섭한 생각이 들 때
나는 깜짝깜짝 뉘우친다
하늘에 계신 아버지도 나에게 서운한 때 많았을 거라고

그러니 아들아 너는 걱정하지 마라
너도 일가를 이룬 나무, 몰아치는 비바람 잘 견디며
귀뚜라미처럼 괜히 와서 우는 일 없도록,

해가 짧아지면서 오른쪽 무릎에서 악기 소리가 나지만
몸이 알아서 현 한 줄 심심치 않게 튕겨주는 일
이제 뼈가 닳고 가슴이 밭는 일도
괜찮다.

삼부자

흩어졌던 삼부자 만나 뜨거운 밥을 먹는다
차가운 술을 마신다
먹는 일보다 마시는 데 더욱 익숙한 삼부자는
마시고 마셔도 취하지 않는
불혹의 연대로 하강하고 싶은
아버지의 객쩍은 목소리가 제일 크다
어릴 적 두어 번 매 맞던 일도 잊고
어느새 제 식구 밥 먹여주느라 머리까지 성깃한 첫째
결혼 삼 년 차인
베트남에서 온 둘째는 아직도 신혼 중이라고
기온이 낮은 한국에서는 술에 취하지 않는다고
그렇지, 오랜만에 만났는데 꼭 술에만 취하겠느냐
이렇게 머리가 맑고 서야 취하겠느냐
늙은 슬픔도 마른 꽃잎이 된 지 오래
새빠진 분노도 마른 분수가 된 지 오래
소주 몇 병 가지고서야 고까짓 취하겠느냐

김제 金堤

무슨 전생의 죄로
징징 두들겨 맞는지
끊기며 이어지는 먼 징소리로
산산이 부서지며, 부서지며
안개 자욱 앓는 소리로 오시나
내 울먹이며 떠나온 고향을
언젠가 웃으며 돌아온단 약속을
잊지 말라고 잊지 말라고
소나기처럼 다그치나, 다그치나
고향 생각은 징징 징
눈 아프고 귀가 멀다

물의 연혁

나의 본적은 하늘 아래 허공
내가 구름의 아들이라는 것은 잘 아실 테고요
나는 까마득한 지상을 그리워하며 살았지요
도대체 막막한 떠돌이 삶은 싫어
지상의 가장 안전한 정착지를 찾아서
'겸손한 마음으로'
낮은 곳으로 낮은 곳으로 흘러가는 우리 집 가훈
누가 나더러 물이라고 빈정대고 얕잡아도
그냥 웃었지요, 사실 보시다시피 나는 물이니까요
행로를 가로막는 장벽도 수없이 만났습니다
그럴 때마다 나는 대적하지 않고
죽은 듯 먼 길 돌아서 갔지요
까마득한 낭떠러지도 새처럼 뛰어 내리고
우리 집 가훈 '겸손한 마음으로'
모난 돌들의 상처도 어루만지며
목마른 나무들의 목을 적셔주며 살아왔지요
아 그러나 물이라고 내 성질
부처님 가운데 토막은 아니어서

때로는 천둥 벼락을 동반, 큰물이 되어 세상의
썩어가는 오물들을 쓸어내릴 때
혁명은 되지 못하고 엉뚱하게도
한숨과 눈물을 짜내기도 하였지만 그건
내 본의가 아니었다는 걸 믿어주시면 좋겠습니다
아, 저 강기슭에 삽을 씻는 농부가 보이는군요
바로 저길 휘돌아 가면 드디어 강의 아랫목
나의 긴 이력을 다 쓰고 한 판 살아갈 안식처
나의 본향은 하늘 아래 바다

만경강

인중이 거뭇하던 봄날
어쩌다 통학 열차를 놓치고는
목천포 다리 위에서 강을 굽어보고 있었다
강은 울고 싶은 내 마음을 알았는지
걸음을 멈추고 내 얼굴을 올려다보았다
올려다보며 나를 자꾸 뛰어내려라, 손짓을 하고
강과 나 사이가 한없이 깊었으나
나는 팔 관절을 쭉쭉 뻗치고 뻗쳐서
마침내 울먹이는 강물을 어루만지고
속절없는 강은 김제와 익산 사이를 흘렀으므로
다리 하나를 건너면 거기가 김제↔익산이었다
난생처음으로 오십 리 길을 걸어와서
몸 끙끙 앓았고
아, 그때부터 평생 詩라는 병을
시름시름 앓게 되었다

혼자 먹는 밥

사는 것이 습관이다

출근할 일도 없이 7시에 조반을 먹는다
자꾸 속에서 신물이 올라와
하나, 둘, 셋, 넷…… 천천히 씹지만
열다섯도 못 넘기고 울컥 삼키는 설움
설움도 소처럼 무심으로 반추해서 씹어 봐야
속에 들어가 단죽이 될 텐데
퇴근할 일도 없이 또 7시에 만찬을 먹는

습관이 투병이다

소나무를 아우라 불렀다

자네는 나무 아래 잠들고
이따금 늦잠 비비며 깨고 나선
우듬지에 올라 가부좌를 틀고 앉아
남쪽 환히 트인 양지를 바라보겠지
전생에서 사랑했던 아내와 외아들
토끼 같은 두 딸을 생각하겠지
그리고 오랜 생각 끝에 끌려 나온 이 형도
아련한 기억 거슬러
젓가락으로 막걸릿잔을 저으며 우애를 하던
슬프지도 기쁘지도 않은 웃음을 짓겠지
자네는 나무 아래 묻혔어도
소나무의 늘 푸름으로 살고 있기에
이 형이 막걸리 한잔을 따라 올리고
자네의 붉은 몸을 울먹이며 만지네
하늘숲공원의 자네는 7–77–A
다시 오마하고 뒤돌아서는데
자네는 잔가지 손을 흔드네

푸 쿽*

바다를 두르고 멀리 떨어져 보면
잊고 싶었던 얼굴조차 그리워진다
섬에서 걸어 나오고 싶어 바다를 다 쏟을 수는 없나니
가만 눈 감고 귀 기울여보면 들으리라
주물럭주물럭 철썩철썩 세탁을 한다
때 묻은 사람이 바다를 더 사랑하는가 보다
부끄러운 기억도 깨끗해져서
언젠가 아픈 마음과 함께 사라지리라
안전띠도 없이 살아온 몸
나는 바다에 투신하고 싶어서 온 게 아니라
나는 바다에 뭔가 고백하러 왔나 보다
바다의 영원에 동참하러 왔나 보다
침침해진 눈을 솜구름이 닦아주어 비로소 밝아지는 눈
잊고 싶었던 얼굴조차 그리워져
하얗게 달려드는 말 잔등을 탄다

* Phu Quoc. 호치민에서 남서로 390킬로미터 떨어진 베트남의 제주도 같은 섬.

에덴의 서쪽The West Eden 2
–룽호아[*]

개들이 짖었다
소리는 요란했지만 맹렬하지는 않았다
목부터 축이라고 빨대 꽂힌 코코넛을 건네받았다
첫날이었으므로 일일이 문안 인사를 다녔다
코코넛, 파파야, 포멜로, 바나나, 오렌지, 잭푸룻, 여러 가문들
낙원을 이룬 채 하늘에 푸른 물들이며 울울창창하였다
흰 구름이 하늘의 눈썹을 닦고 갔겠지만
야자수 우듬지 사이로 조각보 같은 거룩한 하늘을 보았다
한때 꽃이었던 적을 모르는 무겁게 매달린 과일들이
다른 나무의 꽃을 부러워하고
곳곳에 코코넛 외눈구멍 뜨고 보는 해골바가지들
새삼스럽게 여기도 킬링필드구나 했지만
저만치 쿵쿵 짝짝 숲의 음악은 누구의 영혼을 씻는지
슬픔은커녕 종일 신명과 함께 건너오는 것이어서
어쩌면 죽었던 에덴의 신부와 신랑이 살아올 것만 같았다
귀여운 탄란[**]이 짧은 몸 시를 쓰고 금세 사라졌으나
신경 쓰지 말라는 듯 벽에 불립문자는 보이지 않았다

그렇게 모자람 없는 고단한 둘째 날도 저물고
꿈속에서 머나먼 닭소리를 들었다

* 호치민에서 서쪽으로 90여 킬로미터 떨어진 농촌(Luong Hoa, Giong Trom, Ben Tre, Vietnam).

** Than Lan. 도마뱀.

류머티즘

내가 목을 걸고 싶어서 수평선은 저기 있다

수평선은 질기다. 얼마나 질긴지 두 손으로 잡아보는 순간 여윈 손바닥의 살점 베어간다 피는 한 방울도 비치지 않는다 그간 부리 사나운 새들이 쏙쏙 쪼아 먹고 파먹어 허연 뼈 드러난다. 드러난 뼈가 시원할 것 같아 물너울에 몸을 던져보지만 저 운명선으로 몸을 데리고 가기는커녕 물 밖으로 자꾸 뱉어놓는다

노을

기차 화통 벌겋던 정거장
아버지가 지겟다리에 지푸라기로 꿴 동태 두어 마리 매달고 흥얼흥얼 재 넘어오시던 얼큰한 저녁

아궁이에서 구들장으로 들어가던 불길이 둥그런 햇덩이로 펑, 토해내던 날이
저그만치 걸어옵니다

어머니의 눈물

다만 가실 때에
다물지 못한 갈잎 같은 입술
정작 한 말씀도 열지 못하면서

홀로 드러누운
세상에서 가장 길고 슬픈 詩
눈으로 가슴으로 굽어 읽는데

한 가닥 이승의 가는 미소 끝
겨우 매달린 눈물 한 방울
그 투명한 영혼

물소리

일생의 시작과 끝이
강 건너 오고 감인가.
별안간 아우가 죽고
소나무 밑에 한 줌의 흙으로 돌아갈 때
인생은 거짓말이라는 걸 실감했다
나무와 화초를 좋아한 아우여
그래, 그래
한 그루 청정한 소나무로 환생하라
그 소나무 그늘에서 산 사람은 돗자리 깔고
밥도 먹고 술도 마시리라
다시 밀어내고 싶은 새해는 오고
거스를 수 없는 이 엄살 많은 인생,
산골짝 너럭바위에 앉아
갈 지 자로 흐르는 물 오래 굽어본다
물굽이마다 물소리 두터워져서
먹먹해지는 귀,
욕심도 없고 지능도 없는
바위가 되어본다

독작獨酌

목련은 어떤 지극한 마음으로
꽃을 향해 가는지
꼿꼿이 세운 그 꽃봉오리 끝으로
나 속절없이 당신에게 안부를 적고 싶네
텁텁한 막걸리 한 병이면 당신을 사흘은 견디네
돼지고기 한 근 끊어 김치찌개를 끓일 때
문득 당신이 찾아오네
그러나 아주 가끔 하루 한 잔으로 족하네
당신은 팔부 능선쯤 차오를 때 제일이네
외로움도 아껴야 해
나 외로움을 너무 낭비하는 게 아닌지
넉넉히 차오른 당신을 굽어보는 동안
어느새 낮달처럼 떠오르는 당신은 웃는지
내가 당신을 당신이 나를 달래주는
오늘 당신은 나의 반주라네

독毒

독 중에도 맹독은 고독이라는 독
사랑도 물건도 그 어떤 것도 방치하면 안 된다.

한 번도 신지 않은 신발 신고 황당한 일을 보고 말았다. 상자에 넣어 둔 채로 오랫동안 아껴온 멀쩡한 새 신발 꺼내 신고 외국 여행 가려는 길에 뒷굽이며 밑창까지 마른 개흙처럼 부슬부슬 떨어지는 게 아닌가!

상자 속에서 맑은 햇빛 보지 못하고 그간 저 혼자 속 푹푹 삭고 있었던 것, 마침내 이때다 하고 너 당해봐라! 제 몸 산산이 자해하여 낭패를 보이는

참 멍청한 사랑이었다
사랑은 아끼는 것이 아니었다

물의 동안거冬安居

제 피부를 땅겨 잡는 일이란
물이 딱딱하게 언다는 것은 괴로운 일
얼고도 수평을 유지하는 것은 참 대단한 근력
방한복 하나 걸치지 않은 맨몸으로 웬만한 추위쯤이야
몸의 일부로 살얼음 거죽을 만들어 막아내지만
동지섣달 쇠가시 강추위에
아예 스스로 추위와 내통하는
통째로 얼음이 되어 얼음을 이기는
생의 파란만장을 돌멩이 하나로 지그시 눌러
물의 침묵을 내 안에도 담아두는

제3부

저녁이 슬그머니

솟대

금세 맞이해야 할 겨울이 어떤 것인지는 모르지만

그냥 하늘을 질러가는 기러기 무리에 섞이고 싶다

내 시집을 받아본 고향 친구들이 뭐도 모르고 마냥

대단하다. 대단하다 하는 말 빈말 같지는 않지만

저문 늦가을에 내가 참 우습고도 지루할 뿐이다

나는 나무 끝에 앉아 꼼짝도 않는 한 마리의 새다

저녁이 슬그머니

어스름을 입은 저녁이 슬그머니 이녁으로 오고
푸르른 봄날 뜬구름에 실려 간 황금 수틀은 아름다웠네

노란색 일색으로 황사에 흐려지는 눈총을 외면할 수밖에 없는
꽃다지며 산수유며 수선화 물릴 수 없는 봄은 누구의 봄입니까

지난해 바싹 마른 낙엽 한 장이 빈 소리를 굴리는 저녁이오니
서쪽 하늘을 바라보는 얼굴이 살굿빛으로 물들어도 좋겠습니까

이제 오늘을 다독이며 안아줄 수 있는 내일은 없으니
저녁이 슬그머니 와도 후회할 저녁이 아니오니

묵은 사과

주춤거리던 사과
살짝 칼등으로 사과를 노크한다
단박에 사과 칼날 들이밀면 놀라서
아픈 사과가 되겠지
근육주사를 놓듯 기억을 환기하는 게 좋겠지
묵은 사과가 육향이 짙은 것은
수치와 민망과 미안과 무안이 섞여
한 몸으로 푹, 숙성된 때문일까
사과는 좀 더듬더듬 서툴다
사과는 시야가 뚫린 고속도로처럼 탄탄대로로
사과를 받아주지 않겠다는 듯
사과껍질이 과속방지턱을 넘으며
툭 끊기곤 한다

새의 눈물

새가 울 때 당신은
새의 눈물을 본 적 없다지만

나는 보았다

그건 여간 뜨거워서
바람이 슬쩍 받아 가는 것을

막도장만큼이라도

서랍을 정리하면서
언젠가 딱 한 번 써먹었을 도장을 보았다
아직도 나무비린내 나는 목도장
젊은 날 허둥대던 기억 하나
버릴까 말까 하다가 도로 넣어두었다
인제는 쓸데없어 버릴 때가 되었지만
내가 나를 어떻게 버리나, 하기야
나를 버리고 싶은 때가 한두 번 아니었지
무엇을 간직한다는 일보다
무엇을 버린다는 일이 더 쉽지 않지요
당신은 나를 누구의 대용으로라도
부랴부랴 한 번쯤 부리실 날이 있겠는지요
막도장만큼이라도

빈집

비어 있다
한때 다산多産으로 분주했을
배부른 밥이었던 저 거푸집
말끔하게 비어 있다
밥이란 기억조차 잊은 듯
박물관 귀퉁이에 조용히
녹빛으로 비어 있다
숨 차오르며 쇳물 받아먹던
달이 끊긴 자궁 하나가 텅
비어 있다

성냥

우중충한 봄날
언젠가 어느 개업 집에서 가져다 둔
작은 성냥갑 하나를 열어 본다
그간 소지燒紙에나 쓰고 남은 몇 알의
성냥개비들 참새 주둥이같이 짹짹거린다
꽃을 품고 얼마나 목이 탔으랴
저들은 활활 태워줌으로 다시 사는 것
잽싸게 한 개비 그어대는 순간
"살았다!" 소리치는 불꽃
피난 시절 고향의 유황 냄새 확 풍기며
징 울음 길게 이명耳鳴 하나 남기는데
정작 누가 다비 같은
내 몸에 깡마른 성냥개비를 그어대랴
우중충한 봄날,

상강霜降

찬 하늘
철새 한 마리

뒤늦게
울고 간 자리

홀로 빈 하늘
빈 술잔

소양강은 흐르고

소양강은 흐르고
물결 위에 얹어가는 내 마음은 어느
후미진 물기슭에서 당신을 만나 엉엉 울어대랴
강물이 두려운지 소양강 처녀는
피안을 뒤로 봉의산만 바라본다, 아니
저 붙박이 그리움은 잠시 뒤돌아본 것뿐
뒤돌아본 것뿐, 소양강은 발아래 흐르고
저 물밑은 얼마나 또 치열한 한세상이냐
물별을 띄우며 강은 크게 웃고 있지만
스카이워크를 걸으며 한 짐 지고 온 슬픔은
무슨 예감으로 떨리는지
살고 싶은 생각은 죽고 싶은 생각보다 우월하다
슬픔도 미움도 물결 따라 멀어지는
소양강은 흐르고

연애하고 싶다

우거진 숲속에서
검은등뻐꾸기 소리를
벙어리뻐꾸기 소리가 덮어쓴다

조물주가 하나 실수한 것은
늙어 단풍 든 몸에 마음은 초록이라는 것

푸르른 날의 성급한 연애보다도
인제는 늦은 만큼 철든 연애할 수 있다

인두를 품은 화로 같은 연애를
불쑥 시린 손 내밀어
쬐고 싶은 내 당신

사랑의 수의

우리는 파도 너머
동해의 일출처럼 들떠 살았던가

사랑은 얼마나 믿을 만한 허구이며
정은 또 얼마나 믿지 못할 실상인가

창밖의 마른 살구나무에
참새 떼 저녁밥 짓는 소리 열리고
사는 게 지지고볶고지지고볶고
설거지하다가 접시도 깨뜨려 보았지만

당신은 지금 어느 대학병원에서
운명의 독불장군과 사투하고 있다는데
당신은 죽어도 죽지 않을 사람
대지에 제 씨를 뿌린 어미나무이니

노을 한 폭 끊어 수의를 입히리라
저 장엄하고도 슬픈

나는 그대를 쓰네

그대를 보고 듣는 대로 받아 적네
그대의 말 무슨 뜻인지는 몰라도
읽어서 좋은 그대를 나는 매일 읽네
윤나는 머리와 눈의 총기는 보이지 않아도
숲속의 새가 보이지 않아도
그냥 지저귀는 소리만으로도 신기하네
수수깡같이 마른 그대는
잘못하면 죽을병 하나 갖고 있는데
늦겨울 조릿대처럼 비릿하고 달큼하고 서글프네
내가 그대를 사랑하는 것은
두 줄기 뱀의 혓바닥처럼 예민하고
부르르 떠는 악어의 옆구리처럼 절실하네
절실하여
나는 자꾸 떠나려는 그대를 쓸 수밖에 없네
몸 씻고 청승맞게 나 그대를 쓰네
옥같이 조촐하고 우물처럼 깊은 밤에

강

당신과 나 사이 흐르는 강이요.
차안과 피안 아득히 건너다보는 강
서로 부르는 소리
속절없이 넓고 길기만 한 강이요.
한번 안아보기는커녕 말문조차 막혀서
미루나무가 우두커니 서서만 보는 강이요
어쩌다 손짓 발짓 수화手話뿐인 강인데
순간의 강물 흘려보내고
영원의 새 강물 이어지오.
이승과 저승같이 가깝고도 멀리
우리는 하염없이 흐르고 흐르오.
손 내밀면 서로 손끝 닿을 듯
흐르다 마냥 그리움 마르지 않는 강
그냥 흘려보내는 강물이 아깝소.

낮달

한 발짝 다가서면
한 발짝 물러난다

그를 마중 가는 길이
그를 배웅하는 길

굽어보는 눈빛은 항상
지나온 산 너머에 걸려 있다

저렇게 그윽하면서
저렇게 새침하면서

묵은 미농지* 같은 하늘에
어설픈 낙관 하나

점 점 점
흐려지고 있다

* 美濃紙: 썩 얇고 질긴 일본 종이의 한 가지.

수평선

홀리듯 사람이 멀리 온 까닭은
먼저 발자국을 찍고 바다 위를 걸어간 사람이 있기 때문

둥근 북 위에 한 줄의 팽팽한 현을 한번 힘껏 잡았다 놓는 것만으로도
그리움은 북을 찢고 바다를 쏟게 할 것이지만

하늘 끝을 바라보던 사람이 마침내
뚜벅뚜벅 걸어서 홀로 건너가는 바다 너머 저쪽

돼지머리가 웃는다

살아서 웃어본 적이 없는
돼지머리가 웃는다

시끌벅적한 모란시장 가장자리
좌판대에 올라앉아
조용히 차오르는 저 웃음 결

꿀꿀대며 끼니 챙길 것 없고
탈탈 목숨까지 내놨으니 이제
더 내놓을 것도 없어서
무소유란 저리 즐겁다

생판은 도떼기시장, 꿀꿀거리며
일생을 비천하게 살았으나
저 돌아가는 길은 환하다

박제된 골목길

골목길은 아이들이 나와 놀지 않습니다

골목길은 여자들이 머리끄덩이를 잡고 싸우지 않습니다

골목길은 출근했던 남자들이 귀가하지 않습니다

골목길은 행상들이 와서 고래고래 떠들지 않습니다

골목길은 갓 떨어진 가등도 나가 불을 밝히지 않습니다

골목길은 흘레붙은 개새끼들도 보이지 않습니다

골목길은 도둑고양이도 어슬렁거리지 않습니다

골목길은 우체부도 다시는 오지 않습니다

골목길은 이따금 그림자 없는 사람들 몇 기웃거립니다

물의 계단

강이 시작되기를
속으로 우는 산의 눈물로
하늘바라기 염원 나무뿌리 밑으로
푸릇푸릇 이끼 낀 세월 바위 밑으로
나뭇잎 하나 소금쟁이같이 맴돌다가
창자 같은 외지고 응달진 물웅덩이 몇 건너
작은 폭포와 큰 폭포로 크게 울어도 보면서
셀 수 없는 오직 하강뿐인 물의 계단을
내려와 마침내 일도一道를 이뤄 유유히
산자락을 휘돌아 걸어가는 저 나그네
다시는 돌아올 수 없는 험한 세상을
향하여 설총을 뒤돌아보지 않는
저 원효의 냉정함

일쇄一刷

저 매미는
제 흥에 겨워서
쏟아내는 저만의 노래가
기껏 내 귀 턱까지 도달해서는
모조리 버려지는 것을 모르는지

논바닥은 갈라지고 타들어 가는데
한바탕 비가 되지 못하는 뜬구름
웃음도 울음도 되지 못한
아득한 허공의
내 노래는

추자도 연가

검은 개가 쪼그려 앉아
해풍 젖은 허공에 꼬리 글씨를 쓴다
낯선 사람을 보면 컹컹 짖던 예법 따윈 잊었는지
처음 보는 나를 보고도 그간 많이 본 듯한 어느
멋없는 얼굴 같은지
가래나무 건 개오동나무 건
섬에 유일한 옛 노인에게 굳이 섬의 유래를 물어
어디에 무엇에 쓰리
불붙으면 벼가 익어 가을이 들고 가을에
기댄 나무인 나도 또 하나의 섬이어서
하루를 갇히고 이틀을 갇혀도 추자도는 바람을
결코 탓하지 않는다
폭설에 갇혔던 한계령 연가가 있었다면
바람에 갇히고 만 추자도 연가도 있느니
잠시 나바론 절벽에 투신하고 싶은 충동을 많은
추자의 미모가 망설이게 한다
이제 그만 육지의 내 어설펐던 사랑아 나를
추자도에 영원히 유배하라 참모자반처럼 캄캄하게

밤바람이 실연한 늑대처럼 운다

건널목

굽어보는 강물이 세차다
수장을 당할지도 모르지만
건너지 못하면 반드시 죽는다

생이란 슬픈 짐승이 되어
이쪽에서 저쪽으로 건너가거나
저쪽에서 이쪽으로 건너오는 것

등에 배낭을 메고
가슴에 어린것을 안고 어르는
젊은 어미가 그곳에 서 있다

11월

동행하리라
양쪽으로 서서 보고만 있는 가로수 길 지나
녹슨 철길 따라 평행선 긋지 않고
당신과 나는
한 쌍 젓가락인 양 손잡고
어디론가 말도 없이
목발을 짚고 뚜벅뚜벅 걸어가는 저 가을을
뒤따라가리

그믐밤

이 밤에 누가
누가 와서 울음도 길지

나가보면 바람뿐
들어오면 울음뿐

누가 슬픔 갖고 숨바꼭질하는지
자정이 넘도록 새벽이 밝도록

이 밤에 누가
누가 와서 울음도 길지

제4부

구름 위를 걸었다

숨소리

가물가물한 돌밭
열릴 것은 열리고 맺힐 것은 맺히네
만물의 숨소리 점점 가빠지며
들뜨고 늘어진 사월은 가고
오월은 절로 목털 잘 빗은 암말인 양 들이닥쳐
몸도 마음도 차분해지는 돌밭을 건네
내가 돌을 보는 건지 돌이 나를 보는 건지
황사에 젖은 몸 털어내고 단비는 내려
서서히 숨 고르듯 꿈틀거리는 대중의 환시
끝없이 경배하여야 할 나의 우상
푸드덕 풀숲에 쉬고 있던 새 한 마리
놀라 강 건너 미루나무 쪽으로 날아가고
새가 날아간 그 뒤쪽 긴 밭고랑에
하마 그 새의 숨소리로 씨앗들은 눈을 뜨고
숨죽이며 나는 돌들의 숨소리 속으로
깊이 빠지나니

불발탄

남한강 돌밭에
불발탄 하나 떨어져 있다
떨어져 녹슬어 있다
홀로 녹슬어가는 것들은 쓸쓸하다
후방 고요한 강변에 와서
누구를 대적하여 명중하려 했을까
허공을 가르고 달려왔던 번개의 몸
장렬하게 산화하지 못하고
그냥 저렇게
물소리 바람소리만으로
눈물도 웃음도 먹먹했을 것이다
여기까지 살아오면서 나에게도
명중시키지 못한 사랑이
푸르게 녹슬고 있다

화사도 華沙島

구슬프다
방목한 염소가 길게 울었다

벌써 여러 해째
저희끼리 끼니 챙기고
후손도 보고 식구도 불어나
그럭저럭 잘사는 듯해서
육지의 아픈 소식은 전하지 않았다

밤새 씻어놓은 돌밭과 물빛은 맑은데
벼랑 끝 바위 꼭대기에서
염소 한 마리 또 운다
수평선을 멍하니 바라보고 운다

오늘따라 울음소리가
한 자가웃은 더 길다.

천 년

천 년을 굴러온 돌이 있었다
천 년을 굴러왔으므로 잠이 깊었다
잠이 깊었으므로 꿈도 길었다
꿈속에서 조선의 한 사내를 보았으니
하얀 명주옷에 검은 의관을 쓴 선비였다
아이와 어른처럼 서로 웃으며 즐겼다
아, 그러나 어느 날 꿈 깨어보니
꿈 깨어보니 선비는 온데간데없고
시끄러운 세상에 돌 한 덩이만
덩그러니 남아서
또 천 년을 굴러가게 되었다

오석烏石

생이 얼마나 깊으면
이토록 검은가

물 적시면 까맣게 단단해 보이는 게 본질인가
물 마르면 희도록 빛이 얼비치는 게 본색인가

까마귀 한 마리
젖었다 마르고 있다

첫 세수를 하고

세수를 하고
돌을 씻고 있다
새해를 맞는 첫날
방안의 낡은 가재도구며 살림살이 허름한 면목들을
오랜만인 듯 처음인 듯 매만져보는 것인데

불현듯 그것들도 식구들이 아닌가,
문밖에 모아 놓은
수석 몇 개 들어다가 물로 씻는 것인데
살이 무른 아기를 첫 세수시키듯
괜스레 미안하고 안쓰럽고 안타까운 것인데

창틈으로 비치는 한줄기 햇빛에 떠도는
먼지같이 가벼운 것들, 환하게 비치는 것들
지난해에 떠나보내고 소식 끊은 그립고 아련한 것들
가슴 바닥에서 치솟다가 가라앉는 슬픔까지
조심조심 씻겨주는데
손끝이 차가운 새해 아침

첫 세수를 하고.

돌

지금도 썩어가고
죽고 또 죽어 뼈만 남은 돌 살아 있다

쪼개진 아픔 속울음만 울었겠나
무량수無量壽 거듭난 환희도 있었겠지

산의 혼魂 강의 백魄
정녕 경배하고 싶은 한 점 까막돌이여

물의 혀

저 달덩이 같은 몽돌을 보면
물의 혀가 대단하다
물의 혀는 그 촉감 얼마나 보드라운지
돌끼리 부딪쳐 깨지고
솟아난 날카로운 모서리들을
통증조차 느낄 수 없도록
가만가만 핥아 주었을 것이다
오히려 돌의 상처를 씻어내던 혀가
갈기갈기 헤지고
닳고 닳았을 것이다. 아팠을 것이다
그러나 물의 혀는
돌을 갉는 서생鼠生의 치열처럼 정연하고
닳으면서 또 길어났을 것이다
나도 거듭나기 위하여
바닷가에 와서 나 하나의 몽돌로 누워
단연 물의 혀를 받아들인다

오도리*행 烏島里行

처음 가보는 돌밭은 이렇게도
설레며 사람을 외롭게 하는 것이어서
청량리역에서 경주역까지
완행열차는 불면의 밤을 달리는 것이었다
찐 계란에 마른오징어 다리를 씹으며
두꺼비 눈물을 훌짝이던 일행들은
일찌감치 조용해졌다. 행복해졌다
이동판매원의 왕래도 뜸해진 한밤중
기차는 비릿한 바다 물결 위의 쪽배처럼 뒤뚱거리고
쏜살같이 비켜주는 차창 밖 검은 풍경을 내다보는
한 사람만은 말똥말똥
술 몇 잔을 들이켜도 취하지 않고
세상에서 가장 외로운 짐승이 되어
초원의 도망치는 무리에서 낙오된 한 마리 누가 되어
밤새도록 기적을 울리며 달리는 것이었다
성대 끊긴 헛바람 소리
한여름 밤의 식어가는 레일 위를 긁으며
처음 가보는 돌밭은 이렇게도

설레며 사람을 외롭게 하는 것이어서
불면의 밤을 달리는 것이었다

* 포항시 흥해읍 동해안의 한 마을. 앞에 까마귀처럼 검은 바위섬이 있고 바다 물밑에 돌밭이 있다.

얼큰한 돌

큰 강 돌밭 사라지고
바닷가 후미진 돌밭도 그저 그래
그래서 무진장한 돌밭에서 돌이 없다고
허튼 욕심일랑 내려놓고 그냥 돌아갈 것인가
머릿속에 인 박힌 뚜렷한 돌이 아니어도
그림이 알쏭달쏭한
모양이 될똥말똥한
같잖은 돌을 쥐고 돌 맛 얼큰해지는 돌 있나니
살짝 뺨을 만져보고 지나가는 바람처럼
정작 돌밭에 와서는 돌 욕심 버린 후
그 빈 마음을 어렴풋이 채워주는 돌이 있나니
육자배기라도 흥얼거리고 싶은 나만 즐기는 돌
가지고 갔다 제자리 다시 가져다 놓아도
마냥 즐거운
얼큰한 돌이 있나니

돌이나 되었으면

강 따라 올라온 연어처럼
정선 깊은 골 구절리쯤에서
나 돌이나 되었으면
거기 노추산에 가로막혀
해 뜨는 동해로 뛰어오르지 못하고
게으르게 천하태평으로 굴러내리는
굴러서 천 년쯤 후에 해 지는 서해에
종착할 나, 먹먹한 돌이나 되었으면
돌 찾아 강으로 바다로
거지같이 쏘다니던 날 몇 해던가?
그 물결이 쓰다고 자꾸 뱉어놓는
아무렴 외로워 실성한 사람이 먹으면
낫는 알약 같은
돌멩이나 되었으면

농아聾啞

한여름 돌 위 돌 뜨겁다
따끔따끔 깨무는
햇볕의 이빨 자국으로 돌은 더 단단해지고

돌의 검은 피 핥아가는 바람의 혀끝으로
돌은 빛이 난다

빙점을 넘어 안으로, 안으로 굳히는 사색
밀도가 더 조밀해진 돌은 차라리, 차라리
듣지도 말하지도 않는다

수석론壽石論

돌 한 점 만남은 필연이다
여기까지 이끼 낄 새 없이 굴러온 돌이 빛난다
이 돌 한 점이 가슴 속에 깊이 박힌 돌 하나 파낸다
수석은 하나님이 퇴고를 마친 詩다
세상을 둘러보신 하나님이
깊은 슬픔에 빠지실 때 미처 퇴고를 끝내지 못하고
밀어놓은 석편石篇도 있겠지만
수석을 만지다 보면 질긴 목숨의 희열을 느끼나니
작은 돌 속에다 큰 자연을 묻어둔 뜻을 깨치나니
스승이 없는 이 시대에 돌 스승을 만나서
무량겁의 고독을 일깨우는 일, 그것 또한 창조의 기쁨
당신도 그 무량겁의 고요를 일으켜보심이 어떨는지,
그리하여 내가 세 번 허리 굽혀 돌 한 점 들어 올리듯
당신도 세 번 찾아가 모신 돌 한 점이
당신이 퇴고를 마친 필생의 詩임을 알 것이니

부부 夫婦

나는 이제 돌이나 되었으면 좋겠다고 말하니
당신은 나무나 되었으면 좋겠다고 말한다

나무가 되어 붙박이 삶을 살 것이냐 하니
돌이 되어 정처 없이 굴러다닐 것이냐 한다

내가 돌이 되어 거듭나서 수석이 된다면
자기는 제 몸 깎아 내 좌대가 되겠다고 한다

돌멩이를 던져라

돌멩이는 차인다
차여 길바닥에 넘어지고 구르는 게 대수다

먹고사는 데 차이고
시 쓰는 일에 차이고
애인에게도 차였다 차인 날이 많았다

차일 때마다 구르면 굴렀지
그쯤으로는 부서지지 않았다

이제 단풍은 물들고 하늘은 왜 높고 맑은가
오래 굴러온 돌

이쯤에서 누가 나를
하늘 저쪽으로 힘껏 물수제비를 띄워도 좋다

목마른 돌

바짝 말라서 희미하다
물세례 몇 번에 부르르 떠는 돌
이내 본색을 회복한다
주름이 젖고 요철凹凸의 굴곡마다
물 받는 소리는 꿈인 듯
아니 유년의 검은 노트에 몽당연필
침 묻혀 꾹꾹 눌러쓰던 아니
오래된 고요가 허물을 벗는
석 잠째 자고 있는 누에의 숨소리
아니 극지에 피어오르던 오로라의
머나먼
색감,
정감,

새까맣게 탄 돌의 입술,

집 Zip

–어느 수석 전시장에서

자연의 축경미를 보면
한 권의 압축 파일을 읽는 것 같다
진열된 돌들을 둘러보면서 문득
이름 없는 것들은 막연하다
돌멩이다 몽돌이다 부르는 것들을
인연 따라 낙관처럼 이름을 붙여줌으로써
돌은 꿈틀거린다
비로소 수석이 된다
그렇게 천신만고 세상에 태어난 것들을
좌대에 앉히고
수반에 세워도
더러 호명 받지 못한 것들은 쓸쓸하다
수석 전시는 어린이집 아동처럼
동심으로 돌아가
서로 호명하고 기억해야 한다

그리움

강은
산허리 감싸 흘러가고

산은
나무들 강으로 기우네

폐광

거울 앞에 서면
그 속 다 드러나네, 제 몸 파먹고 살아온 세월
한때 대낮같이 화장발 잘 받던 얼굴
알코올 솜으로 닦으면 닦을수록
분명해지는 위선의 낯바닥이며
어설픈 눈물 자국까지 다 드러나네
끝내 지렁이 흔적만큼도 지키지 못한 사랑
뽕잎만큼이나 입이 좀 컸더라면
치맛바람에 날개를 붙이고
기둥서방 몇은 먹여 살렸을 텐데
가슴 넓어 따뜻한 손이면 그냥 넘어졌다네
립스틱을 지운 입술은 핏기 없는 백지장
이젠 그 큰 눈엔 풍덩 빠져줄 사내 하나 없네
메마른 자궁은 문을 닫은 폐광
불씨를 포장한 그리움조차 까맣게 발아버렸네
거울 앞에 서면

채석강

누가 이 책을 읽었다 하나

아직도 집필 중인 이 책을

바람의 기원

바람은 어디서 오는지
보이지 않아도 실체를 확신케 하는 바람은,

바닷가 몽돌을 보면
점차 내 가슴도 파도를 친다
마침내 나 하나의 단단한 돌이 되어서
딸그락딸그락 그지없는 파도의 노래가 된다

그 누가
한 그릇의 바다를 기우뚱 들고 있어서
파도의 손바닥을 펼치고 바람을 일게 하는지

바람은 보이지 않으면서도 정녕 믿고 싶은
신의 숨결이 분명하다

밀양

아픈가?

만어산 돌띠를 두른 허리

무량, 무량 닫은 문

누구 있소?

두드리면 우주의 목청 알 수 없지만

다시 캄캄 걸어 잠그는 문, 문……

그렇다고 잠만 자는 돌들은 아니어서

붙박이 돌강의 마음은 어디로 흘러가는가

이건 육천오백만 년 전 솟아오른 아우성

그만큼 침묵도 오래 닳고 닳으면

맑은 종소리를 내는가

종석鐘石이라 돌강石江이라 부르는 너덜겅

그저 상상은 억측일 뿐이다

눈멀고

귀 닫고

입 다문다

| 해설 |

풀에 미친, 꽃에 미친, 물에 미친, 돌에 미친 야생 시인 그 이름은 나석중

장인수(시인)

옛 문헌을 보면 17~18세기 조선에는 '취趣'에 빠진 도취한 선비들이 많았다. 고기古器 수집에 미친 선비, 구기자와 국화 가꾸기에 미친 선비, 나비에 미친 선비, 연못에 미친 선비, 하늘의 별에 미친 선비, 꽃에 미쳐 하루 종일 꽃만 바라보며 꽃 그림을 그렸던 선비, 돌만 보면 벼루를 깎았던 선비, 담배를 너무 좋아해 아예 담배에 관한 기록들을 모아 책을 엮은 선비 등 방외의 재야 지식인들이 모여서 새로운 인식과 문체를 창조했다.

오늘날 나석중 시인이 그런 '취'에 빠진 부류의 선비에 해당한다. 나석중 시인은 풀, 풀꽃, 물, 돌에 미친 선비다. 미쳐도 단단히 미쳤다. 미쳐서 일가를 이루었다. 여덟 권의 시집에 미친 자의 모습이 적나라하게 드러난다.

나석중 시인은 나의 절친이다. 둘도 없는 나의 시우詩友다. 나의 친구이면서, 내가 존경하는 시인이고, 나의 롤 모델이다. 나도 나석중 시인처럼 늙어 가리라 다짐을 하곤 한다.

몇 가지 이유가 있다. 그의 시선집 해설을 위해서는 그의 삶을 먼저 들여다보아야 할 필요성이 있다.

나는 나석중 시인을 19년 동안 알고 지냈다. 19년 동안 매년 다섯 번에서 열 번은 만났다. 그러니 나는 나석중 시인과 어림잡아 130여 번 이상 직접 만났고, 만날 때마다 약주 한두 잔씩 했고, 이런저런 얘기를 나누었다. 그러니 참으로 우리 사이는 아름답고 지속적인 만남이다. 아마도 앞으로도 지속적으로 만날 것이다.

첫째, 겸손하시다. 나석중 시인은 나보다 무려 27년을 더 사셨다. 나석중 시인은 팔십 대이고, 나는 오십 대다. 나이 차이가 아버지와 아들뻘이다. 그럼에도 불구하고 우리는 친구다. 시를 쓰는 동업자, 동지, 시벗으로 나이를 불문하고 함께 어울린다. 나석중 시인은 언제나 언어가 젊고, 행동이 젊고, 말투가 젊다. 언제나 후배 시인으로부터 배우는 자세를 견지한다.

둘째, 늘 베푸신다. 주택연금으로 살아가는 독거노인이다. 쌈짓돈을 아껴서 일 년에 몇 번 밥을 사신다. 태평역이나 모란역 주변에 모여서 감자탕을 먹고, 소주를 마신다. 그때마다 얇은 지갑을 푸신다.

셋째, 돌과 꽃을 사랑하신다. 근 사십 년 넘게 탐석을 취미 활동으로 해오셨다. 수석을 찾아 산으로, 강으로, 바다로, 섬으로 돌아다니면서 돌을 캐셨다. 수석 전시도 많이 하셨고, 소장하고 계신 수석을 주변의 시인들에게 무조건 나누어 주신다. 십수 년 전부터는 야생화를 찾아다닌다. 수백 가지 야생화 이름과 식생을 줄줄 외우고 있다. 꽃에 대한 애정이 마치 애인을 대하듯이 정성스럽고 애절하다. 총기와 관찰력이 매우 뛰어나다.

넷째, 빈터문학회 활동을 오랫동안 함께 했다. 변함이 없다. 빈터문학회 시인들이 좋다고 한다. 격의 없이 어울린다. 허물없이 어울린다. 원로 시인으로 대접받고자 하는 마음이 별로 없다. 그저 함께 어울리는 것만으로도 기쁘게 여긴다.

다섯째, 정말 부지런하시다. 타고난 성품이 근면하시다. 2004년에 등단해서 8권의 시집을 내셨다. 시집으로 『숨소리』, 『나는 그대를 쓰네』, 『촉감』, 『물의 혀』, 『풀꽃독경』, 『목마른 돌』, 『외로움에게 미안하다』, 『저녁이 슬그머니』와 전자시집 『추자도 연가』, 전자디카시집 『그리움의 거리』, 『라떼』 등이 있다. 2~3년마다 줄기차게 시집을 내셨다. 2023년도에는 시선집을 내고, 2024년도에는 아홉 번째 시집을 내기 위해 부단히 시를 쓰고 다듬고 있다.

다섯 가지 나석중 시인의 인품과 품성이 그의 시에도 고스란히 드러난다.

물과 돌에 미쳐서 철학을 하는 야생 시인

윤선도의 시조「오우가五友歌」는 물, 돌, 소나무, 대나무, 달을 다섯 벗이라고 하여 그들의 덕을 예찬했다. 공자는 '지자요수知者樂水 인자요산仁者樂山'이라고 했다. 지혜로운 자는 물을 즐기고, 인자한 자는 산을 즐긴다는 뜻이다. 또한 공자는 물가에 앉아서 '서자여사부逝者如斯夫 불사주야不舍晝夜'라고 했다. "가는 것은 모두 이와 같구나, 밤낮없이 흘러 쉼이 없구나."라며 세월의 흐름과 인생의 빠름을 노래했다. 소설가 이태준은 수필「물」에서 '독에 퍼넣으면 독 속에서, 땅속 좁은 철관에 몰아넣으면 몰아넣는 그대로 능인자안能忍自安(참아낼 수 있으니 스스로 마음이 편안)하다.'라고 하였다.

예나 지금이나 산 좋고 물 좋은 곳에 사람들이 모여 살았고, 산 좋고 물 좋고 돌 좋은 곳에 인심도 후하고 훌륭한 사람이 많이 나왔다.

나석중 시인의 시에는 유독 물 얘기, 돌 얘기가 많다. 물과 돌을 아우르는 것이 수석水石인가? 수석壽石인가?

그의 시집『목마른 돌』,『물의 혀』는 온통 물 철학, 돌 철학으로 가득하다. 물과 돌에 대한 웅숭깊은 관찰과 생각과 통찰을 보여준다.

소양강은 흐르고
물결 위에 얹어가는 내 마음은 어느
후미진 물기슭에서 당신을 만나 엉엉 울어대랴

강물이 무서운지 소양강 처녀는
피안을 뒤로 봉의산만 바라본다, 아니
저 붙박이 그리움은 잠시 뒤돌아본 것뿐,
뒤돌아본 것뿐 소양강은 발아래 흐르고
저 수중은 얼마나 또 치열한 한세상이냐
물별을 띄우며 강은 크게 웃고 있지만
스카이워크를 걸으며 한 짐 지고 온 슬픔은
무슨 예감으로 떨리는지
살고 싶은 생각은 죽고 싶은 생각보다 우월하다
슬픔도 미움도 물결 따라 멀어지는
소양강은 흐르고

—「소양강은 흐르고」 전문

나석중 시인은 평생 물가를 떠돌았다. 틈만 나면 전국 팔도 물가를 찾아다녔다. 무작정 걸망을 메고, 괭이를 들고 불원천리 돌밭으로 갔다. 물을 만나고 돌을 찾았다. 물의 속삭임을 들었다.

선조들과 선지자와 철학자들도 물의 속성을 통해 삶의 지혜를 얻었다. 요한과 예수도 물로 세례를 주었다. 물은 생명수이며 성수다. 물이 있는 곳에서 생명은 시작되었다. 8세기에 창작된 충담사의 「찬기파랑가」에도 '새파란 냇물에 기랑의 모습이 있어라. 이에 냇 조약돌에 낭이 지니시던 마음의 가를 좇으련다.'고 노래했다. 냇물과 조약돌의 고매

한 인격을 예찬하고 있다. 노자는 '상선약수上善若水'라 하여 제일의 덕목으로 여겼다. 만물을 이롭게 하며 순리에 따르는 물의 성질과 원리를 따져 최고의 선善은 '흐르는 물'과 같다고 한 것이다. 『도덕경道德經』 제8장에는 물을 최고의 가치로 여기는 아래와 같은 구절이 있다.

"최고의 선은 물과 같다. 물은 만물을 이롭게 하는 데 뛰어나지만 다투지 않고, 모든 사람이 싫어하는 곳에 머문다. 그러므로 도에 가깝다上善若水 水善利萬物而不爭 處衆人之所惡 故幾於道."

최고의 선 즉 상선은 자연이고 도道이다. 그러나 자연과 도는 보이지 않는다. 무無인 것이다. 굳이 '물'을 이야기하는 이유는 도무수유道無水有, 도는 보이지 않고 보이는 것 중에서 도와 가장 비슷한 것이 바로 물이기 때문이다.

이렇듯 물은 본연의 성질대로 위에서 아래로 흐르면서 막히면 돌아가고 기꺼이 낮은 곳에 머문다. 둥근 그릇에 담으면 둥글게 담기고 네모난 그릇에 담으면 네모난 모양으로 담기며 늘 변화에 능동적인 유연성과 모든 생명을 유익하게 해주면서 그 자신은 어떤 상대와도 이익을 위해 다툼이 없는 존재다. 물은 높은 곳에서 낮은 곳으로 흐른다. 물 한 방울이 모여 큰 바다를 이룬다. 윗물이 맑아야 아랫물이 맑다. 흐르는 물은 맑으나 고인 물은 썩는다. 일직선으로 흐르는 것이 아니라 지형에 따라 굽이쳐 흐른다. 물은 더러운 것을 씻어 준다. 물은 담는 그릇의 형태에 따라 다르게 보인다. 물은 다른 성분과 결합하면 새로운 성분이 태어난다. 물은 세상의 착한 것 중에 가장 착하고 선하다. 물은 증발·강수·유수·삼투로써 한없는 순환을 되풀이하며 생명의 젖줄과 요람이 된다. 물은 만물을 이롭게 하며 순리에 따른다.

나석중 시인의 물 시, 돌 시는 물의 다양한 속성을 건드리고 있다. 물은 그리움이다. 물은 슬픔과 그리움과 미움과 간절함의 성분이다. 사랑과 그리움이 치열하듯 물의 흐름도 때로는 치열하다.

> 저 달덩이 같은 몽돌을 보면
> 물의 혀가 대단하다
> 물의 혀는 그 촉감 얼마나 보드라운지
> 돌은 돌끼리 부딪쳐 깨지고
> 솟아난 날카로운 모서리들을
> 통증조차 느낄 수 없도록
> 가만가만 핥아 주었을 것이다
> 오히려 돌의 상처를 씻어내던 혀가
> 갈기갈기 해지고
> 닳고 닳았을 것이다. 아팠을 것이다
> 그러나 물의 혀는 참는 게 미덕
> 잘도 참아주었으므로 물의 혀는
> 돌을 깎는 서생鼠生의 치열처럼 정연하고
> 닳으면서 또 길어났을 것이다

바닷가에 와서 나 하나의 몽돌로
누워 물의 혀를 받아들인다

—「물의 혀」 전문

달덩이 같은 몽돌은 물이 만든 작품이다. 계곡에 가면 큰 바위와 모난 돌들이 많다. 온통 바위투성이고 큰 자갈이 깔렸다. 물이 바위와 자갈을 조탁彫琢한다. 절차탁마切磋琢磨를 한다. 쪼개고, 갈고, 핥아 주고, 돌의 상처를 씻어 주고, 다듬는다. 하류로 내려올수록 돌은 둥글다. 바다에 이르면 더욱 둥글다. 둥근 자갈과 모래가 번성한다. 소양강 발아래로 물밑은 치열한 세상이다. 치열하게 쪼개지고 깎이며 모난 돌은 둥글고, 둥근 자갈과 모래알이 된다. 길고 긴 억겁의 수행자가 도달한 인품의 경지와 닮았다.

자기 피부를 땅겨 잡는 일이
늘어지고 퍼지고 누구에겐가 스미는 습성을 참고
물이 딱딱하게 언다는 것은 참 괴로운 일
얼고도 수평을 유지하는 것은 참 대단한 근력
방한복 하나 걸치지 않은 맨몸으로 웬만한 추위쯤은
자기 몸의 일부를 살얼음 거죽을 만들어 막아보지만
동지섣달 쇠가시 같은 강추위에
제 몸 깡깡 얼어붙어 아예 스스로 추위와 내통하는
통째로 얼음이 되어 얼음을 이기는

검푸른 파도와 폭포와 홍수를 인내하는 물의 침묵을
내 안에도 담아두는 이 겨울

–「물의 동안거冬安居」 전문

물은 수행자다. 물은 수도승이다. 한겨울 강물이 꽝꽝 얼었다. 강물은 제 몸 깡깡 얼어붙어 아예 스스로 추위와 내통한다. 강물은 통째로 얼음이 되어 얼음을 이기고자 한다. 동안거는 승려들이 추운 겨울 음력 시월 보름부터 정월 보름까지 바깥출입을 금하며 수도하는 것을 말한다. 겨울엔 숲도 명상의 시간에 접어든다. 겨울엔 산천이 모두 명상록을 쓴다. 겨울엔 추위를 참고 견뎌야 한다. 결기가 없으면 불가능하다. 겨울에는 스님들도 깊은 명상과 참선의 수련을 한다. 묵언수행, 면벽좌선을 한다. 대단한 결기다. 강도 마찬가지다. 스스로를 꽁꽁 얼려 입을 닫고 깊은 묵언수행에 돌입한다. 숲과 스님과 강이 일체가 되어 수행의 단단한 결기를 보여준다. 안거를 시작하는 것을 결제結制라 하고 끝내는 것을 해제解制라고 한다. 물이 어는 것을 결빙, 물이 녹아 흐르는 것을 해빙이라고 한다. 동안거의 속성의 물의 속성과 유사하다. 동안거 기간 선방의 규율은 매우 엄격하다. 결제 기간에 묵언默言을 한다. 결제 중 삭발·목욕·산행·법요식을 제외하고는 자유 정진을 할 수 없고, 옷과 가사, 발우 말고는 개인 사물을 들여놓아서도 안 된다. '깨뜨려야 할' 화두 하나씩을 붙잡고 동안거 기간 내내 사투를 벌인다.

꽁꽁 언 강물도 스스로 얼음조각을 '깨뜨리기 위해' 긴긴 겨울 화두를 붙잡고 참선을 한다.

생이 얼마나 깊으면
이토록 검은가

물 젖으면 까맣게 단단해 보이는 게 본질인가
물 마르면 희도록 빛이 얼비치는 게 본색인가

비에 젖은 까마귀
웅크리고 앉아 있다

—「오석烏石」 전문

지금도 썩어가고
죽고 또 죽어 뼈만 남은 돌 살아 있다

쪼개진 아픔 속울음만 울었겠나
무량수無量壽 거듭난 환희도 있었겠지

산의 혼魂 강의 백魄
정녕 경배하고 싶은 한 점 까막돌이여

—「돌」 전문

돌 한 점 만남은 필연이다
여기까지 이끼 낄 새 없이 굴러온 돌이 빛난다
이 돌 한 점이 가슴 속에 깊이 박힌 돌 하나 파낸다
수석은 하나님이 퇴고를 마친 시詩다
세상을 둘러보신 하나님이
깊은 슬픔에 빠지실 때 미처 퇴고를 끝내지 못하고
밀어놓은 석편石篇도 있겠지만
수석을 만지다 보면 질긴 목숨의 희열을 느끼나니
작은 돌 속에다 큰 자연을 묻어둔 뜻을 깨치나니
스승이 없는 이 시대에 돌 스승을 만나서
무량겁의 고독을 일깨우는 일, 그것 또한 창조의 기쁨
당신도 그 무량겁의 고요를 일으켜보심이 어떨는지,
그리하여 내가 세 번 허리 굽혀 돌 한 점 들어 올리듯
당신도 세 번 찾아가 모신 돌 한 점이
당신이 퇴고를 마친 필생의 시詩임을 알 것이니

—「수석론壽石論」 전문

나석중 시인은 돌에 미친 사람이다. 「수석론」에 잘 드러나 있다. 더 이상 무슨 설명이 필요하겠는가. 나는 나석중 시인이 준 수석을 이십 점 정도 가지고 있다. 만날 때마다 돌을 나누어 주신다. 내 서가에도 있고, 거실 장식장에도 있고, 학교 책상에도 있다. 돌을 볼 때마다 나석중 시인을 생각하곤 한다. 나는 나석중 시인에게서 돌 얘기는 귀가 따갑도록

들었다. 나는 돌을 잘 모른다. 문외한이다. 그런 미천한 내가 나석중 시인의 돌 관련 시를 분석할 재간이 없다. 그저 읽으면서 감탄하고 감동할 뿐이다. 돌을 인생의 스승으로 모시고, 돌에게서 삶의 지혜와 우주 진리와 철학을 배운다. 작은 돌에도 큰 자연이 묻어 있단다. 작은 돌에도 무량겁의 고독이 있단다. 돌을 캐고 돌을 줍기 위해 서너 번 더 허리를 굽혀서 돌을 들어 올린단다. 돌을 모시는 일이 그만큼 정성스럽다는 뜻이다. 돌을 모시듯 필생의 시를 쓰겠단다.

오석烏石은 까마귀처럼 새까만 돌을 뜻한다. 돌에 물을 뿌리면 돌은 전혀 다른 색과 모양을 드러낸다. 물기가 마르면 또 다른 색깔을 드러낸다. 물기를 머금었을 때와 물기가 말랐을 때 까만 돌의 색이 변화무쌍함을 보인다. 신비로운 생명력을 지녔기 때문이다.

『논어』 옹야雍也 편에 '질승문즉야質勝文則野 문승질즉사文勝質則史 문질빈빈文質彬彬 연후군자然後君子'라는 구절이 나온다. 공자께서 말씀하시기를 "질質이 문文을 이기면 야인野人처럼 촌스럽고, 문文이 질質을 이기면 사史처럼 번지레하니, 문文과 질質이 알맞게 어우러진 뒤에라야 군자다."라고 해석할 수 있다. 겉모습과 내적 바탕이 서로 조화를 이루어야 한다는 뜻이다. 빈빈彬彬은 문채와 바탕이 너무 소박하지도 않고 너무 화려하지도 않아 정도가 아주 적절하게 잘 갖추어진 훌륭한 모양을 일컫는다. 나석중 시인은 수석을 통해 돌의 외양, 문채, 무늬, 강도, 생김새의 오묘함을 찾고, 돌 안에

내면의 성품이 잘 깃들어 있는지를 찾는다. 그에게 돌은 '문질빈빈'의 경지인 것이다.

> 아픈가?
> 만어산 돌띠를 두른 허리
> 무량, 무량 닫은 문
> 누구 있소?
> 두드리면 우주의 목청 알 수 없지만
> 다시 캄캄 걸어 잠그는 문, 문……
> 그렇다고 잠만 자는 돌들은 아니어서
> 붙박이 돌강의 마음은 어디로 흘러가는가
> 이건 육천오백만 년 전 솟아오른 아우성
> 그만큼 침묵도 오래 닮고 닮으면
> 맑은 종소리를 내는가
> 종석鐘石이라 돌강石江이라 부르는 너덜겅
> 그저 상상은 억측일 뿐이다
> 눈멀고
> 귀 닫고
> 입 다문다
>
> –「밀양」 전문

경남 밀양에 가면 만어산이 있고, 만어사라는 절이 있다. 만어사는 삼국유사에도 등장하는 유서 깊은 사찰이다. 만어사萬魚寺! 그대로 해석을 하면 만 마리의 물고기가 있는 절이다. 절에 물고기가? 절은 보통 산에 있는데 그럼 산에 물고기가 있다는 말인가? 물고기는 물에 사는데 산에서 살 수 있을까? 산에 살고 있다면 만 마리의 물고기는 어디에 살고 있을까?

만어산에는 어마어마한 너덜겅이 있다. 돌무더기가 있다. 돌이 된 수만 마리의 물고기들이 살고 있다. 만어사에 얽힌 설화가 있다. 옛날 동해 용왕의 아들이 수명이 다한 것을 알고 무척산의 신승을 찾아가 새로 살 곳을 마련해 달라고 부탁했는데, 신승은 가다가 멈추는 곳이 그대와 인연이 있는 터라고 일러주었고, 이윽고 왕자가 길을 떠나니 수많은 종류의 고기 떼가 그의 뒤를 따랐다. 길을 가던 도중 잠시 쉬기 위해 어느 한 곳에 멈췄는데 그 순간 용왕의 아들은 돌미륵으로 변하였고, 왕자를 따르던 수많은 고기 역시 굳어져 돌이 되어 일대가 돌밭으로 변해버렸다고 한다. 그 머무른 자리가 바로 지금의 만어사 미륵전 자리이며, 미륵전에는 돌미륵이라고 불리는 돌이 모셔져 있다. 또한 미륵전 아래에는 많은 돌무지가 깔려 있는데 두들겨 보면 맑은 쇳소리가 나기 때문에 종석鐘石이라고도 한다고 한다.

나석중 시인은 만어산 만어사에 갔다. 거기서 신령스런 돌밭을 목도했다. 까무러칠 듯 감탄했을 것이다. 그리고 전율의 감동을 시로 썼을 것이다. 돌을 섬기는 절을 보았다. 돌마다 부처님의 그림자가 어려 있는 것을 보았다. 너덜겅,

너덜겅 만 개가 넘는 돌이 된 물고기 떼. 미륵전에도 불상 대신 거대한 바위가 들어앉아 있다. 마치 고래 같다. 수많은 돌 물고기들이 뾰족하게 주둥이를 내밀고 있는 것처럼 보인다. 주둥이를 내밀고 설법을 경청한다. 돌이 돌을 섬기고, 돌이 수행을 하고, 돌마다 불심이 서려 있고, 스님과 부처도 돌을 귀하게 여긴다. 그리하여 만어사 돌밭은 나석중 시인을 만나서 「밀양」이라는 시로 탄생을 했다.

풀과 꽃에 미쳐서 철학을 하는 야생 시인

나석중 시인은 들풀의 시인, 들꽃의 시인이다. 『풀꽃독경』 시집에는 풀의 신령스러움, 풀의 신성성, 풀의 종교성을 얘기한다. 예수님이나 부처님을 섬기듯 들풀과 들꽃을 섬긴다. 목사님이나 스님이 있어야 할 자리에 들풀과 들꽃을 올려놓는다. 성경과 불경의 구절을 들풀과 들꽃에게서 찾는다.

이것도 꽃이더냐
간신히 피었다는 생각이 든다

포기하지 않고
핀 꽃은 눈물이 난다

바늘귀만 한 작은 꽃이라고 해서
작은 꽃이 아니다

잊지 말라고 눈에 들어박혀서
작은 꽃은 아프다

—「작은 꽃」 전문

나석중 시인은 『저녁이 슬그머니』라는 시집에서 시집의 시를 대부분 '하늘, 구름, 풀꽃, 나비' 등을 베낀 것이라고 고백한다. 시인은 자연 대상물과 교감交感하면서 그들의 전언을 필사筆寫한다. 시인은 들풀과 들꽃을 매일 호명하는 삶을 살아간다. 사진기를 들고 다니면서 야생화를 찍고 또 찍는다. 그리고 시를 쓴다. 그리고 페이스북에 야생화 사진과 글을 올린다. 아마도 수백 가지 야생화 이름을 줄줄 외우는 것으로 알고 있다. 거의 전문가 수준이다. 들풀, 들꽃과 대화를 나누는 시인이다. 아바타의 나비족들이 자연 대상물과 교감신경을 연결해 서로 감정과 영혼을 교류하는 것처럼 나석중 시인도 아바타의 나비족인지 모를 일이다.

땅에 엎드려 숨어서 피는 작은 꽃을 찾아내고는 눈물을 흘린다. 작은 꽃이라고 해서 작은 꽃이 아니라는 큰 깨달음과 생명에의 외경을 얻는다. 나석중 시인의 눈망울에는 작은 꽃이 들어와 박혔다. 나석중 시인은 작은 꽃을 찾기 위해 굽어보고 또 굽어본다. 굽어보기 위해서는 허리와 무릎을 굽혀야 한다. 무릎을 꿇어야 한다. 무릎 꿇는 자세는 자신을 낮추고 상대방을 높이는 겸손한 자세다. 자연의 작은 생명체와 조우하고 친구가 되기 위해서는 자신을 한없이 낮추는 겸손한 자세가 필수적이다. 스스로를 높이거나 대접받고자 하는 자는 결코 무릎을 꿇고 허리를 굽혀 작은 꽃을 발견할 수도 없고 만날 수도 없다.

> 너무 아득한 산속은 말고
> 너무 비탈진 장소도 말고
>
> 실낱같이라도 물소리 넘어오는 곳
> 간간이 인기척도 들려오는 곳
> 메마른 설움도 푹 적시기 좋은 곳
>
> 귀 하나는 저승에다 대고
> 귀 하나는 이승에다 대고,

–「노루귀」 전문

노루귀꽃은 노루의 귀를 빼닮았다. 쫑긋! 솜털이 많은! 모양이 쏙 빼닮았다. 착한 나무꾼과 사냥꾼에게 쫓기는 노루 설화와 관련된 꽃이기도 하다. 목숨을 건진 노루가 나무꾼에게 명당자리를 알려주었고 나무꾼은 그곳에 부모님의 묘를 썼다. 이것을 알면 노루귀 시에 나오는 장소는 산골 외딴집에서 멀지 않은 양지바른 곳에 핀 꽃이라는 것을 알 수 있고, 그곳이 명당이라는 것을 알 수 있고, 그곳이 이승에 귀를 대고 저승에 귀를 댄 곳이라는 것을 알 수 있다.

나석중 시인은 덤불을 헤집고 앙증맞게 핀 작은 노루귀 꽃에 깃든 설화와 장소와 노루귀의 생김새를 절묘하게 연결시켜 뛰어난 시를 창조했다. 그냥 산속의 작은 꽃의 발견이 아니라 삶과 죽음을 교감하는 작은 꽃의 발견인 것이다.

나석중 시인의 귀는 노루의 귀를 닮았다. 그는 술자리에서 스스로 자기 주장을 내세우지 않고 잘 들어준다. 잘 들어줌으로써 상대방을 배려하고 품는다. 작은 소리도 잘 듣는 노루의 귀를 닮았다. 그것이 나석중 시인의 가장 빛나는 인품이고 성품이라는 것을 나는 누구보다도 잘 안다. 「노루귀」라는 시를 읽으면서 그의 인품을 자연스레 떠올려본다.

어제는 은꿩의다리를 찾아 읽고
오늘은 금꿩의다리를 찾아 읽네
야생의 풀꽃 경經에 빠지다 보면
더러 한 끼의 밥때를 놓치는 마당에
외로움이란 감정의 사치에 불과한 것
돌이든 풀꽃이든 詩든
거기에 마음 앗기다 보면
백수 같은 외로움 맞아 놀아날 새 없네
강아지풀을 보면 나도 강아지풀이나 되어서
무엇이 좋다고 저렇게 꼬리를 흔들흔들

세상에 있는 듯 없는 듯 살고 싶은데
강아지풀 너도 나를 보면
산으로 들로 쏘다니고 싶은 거냐
장마 그치고 바야흐로 가을로 들어섰지만
이제야말로 연애하기 좋은 시절이라는 듯
매미들 시퍼런 소리 갈아대며 극성인데
숲속 오솔길 가 거침없이 솟아오른
깨벗은 무릇 한 쌍이
나를 조금 부끄럽게 하네

—「풀꽃독경」 전문

풀꽃을 찾아다니면서 풀꽃을 만나는 순간 반갑고, 감동하고, 기뻐하는 마음 때문에 한 끼 밥을 굶는 것은 예사란다. 외로움에 빠질 틈도 없단다. 들풀을 만나서 노는 것이 마치 연애를 하는 시절 같단다. 풀꽃과 연애를 하기 때문에 외로움이라는 감정이 오히려 사치라는 것! 이것이 좋은 일에 미친 사람이다. 자신의 일이나 취미에 푹 빠진 사람은 아름답다. 나석중 시인은 나에게 '좋아하는 일에 미쳐라'라는 가르침을 주는 것 같다.

슬프지만 명랑한 독거노인과 야생 시인

나는 나석중 시인을 19년 동안 알고 지냈다. 19년 전에도 그는 혼자였다. 그때 64세였다. 그때 그는 혼자였다. 그가 언제부터 혼자 살았는지 정확히 알 수는 없다. 하지만 이삼십 년 이상을 혼자 살아온 것은 분명하다. 혼자 사는 일은 혼자 밥하고, 빨래하고, 설거지하고, 방 청소하고, 쓰레기 분리수거하고, 혼자서 텔레비전을 보고, 혼자서 잠을 잔다는 것이다. 아파도 혼자서 아프고, 혼자서 견디고, 혼자서 병을 치료해야 한다는 것이다. 혼자서 대화하고, 혼자서 침묵하고, 혼자서 묻고, 혼자서 대답하고, 혼자서 북 치고 장구 치고 노래를 해야 한다는 것이다. 나는 혼자 살아가는 인생을 상상할 수조차 없다. 혼자 살라 하면 못살 것 같다. 그는 1인 가구, 1인 가정에 해당한다.

오늘날 1인 가정 전성시대에 해당한다. 2022년 통계청에 따르면 1인 가구는 전체 가구의 33.4%인 716만6,000가구로 가족 형태 중에 가장 큰 비중을 차지했다고 한다. 3~4명의 핵가족보다도 더 작은 단위의 1인 가정이 가장 큰 가족 형태가 되었다. 1인 세탁기, 1인 밥솥이 유행이다. 1인 가정인지 자취생인지 구분할 수가 없다. 그는 아들이 둘 있다. 엄밀하게 말하면 1인 가족이면서 한 부모 가족이다. 두 아들과는 따로 산다. 독거노인으로 살아가는 삶의 모습이 시선집에 가득 들어차 있다. 어렵지 않게 술술 읽히는 진솔한 생활시에 해당한다. 생활시는 때로는 시적 기교와 생경하고 신선한 시적 표현이 자리하기 힘들 수 있다. 그래서 큰 공감대나 감동을 주지 못할 수도 있다. 하지만 나석중 시인의 독거노인의 생활시는 감동을 준다.

찬 하늘
철새 한 마리

뒤늦게
울고 간 자리

홀로 빈 하늘
빈 술잔

—「상강霜降」 전문

아프지 마라
아프면 희망도 아파

괜찮겠지, 괜찮겠지
여태 하던 가게 문도 닫고

집도 줄이고 줄여서
아주 변두리로 밀렸다지만

질경이만큼 잘 버텨왔잖아
제발 아프지 마라

아들이 아프면 희망도
아버지도 아파

—「아프지 마라」 전문

뜬금없이
큰놈 전화라는 게
아버지 주택연금을 드시라고

너는 말했으나 왜 모르랴
네 지금 많이 고달프다는 걸
이제는 더 이상
아버지 돌볼 여력이 없다는 걸
그래서 결심했고
코딱지만 한 집이지만
아들 말대로 연금에 가입해서

야금야금 늙어간다
곶감처럼
잔고를 빼 먹 는 다

—「주택연금」 전문

사는 것은 습관이다

> 출근할 일도 없이 7시에 조반을 먹는다
> 자꾸 속에서 신물이 올라와
> 하나, 둘, 셋, 넷 …… 천천히 씹지만
> 열다섯도 못 넘기고 울컥 삼키는 설움
> 설움도 소처럼 무심으로 반추해서 씹어 봐야
> 속에 들어가 단죽이 될 텐데
> 퇴근할 일도 없이 또 7시에 만찬을 먹는
>
> 습관이 투병이다
>
> —「혼자 먹는 밥」 전문

시인은 늘 시를 쓰면서 소재나 착상 면에서도, 사상적인 면에서도, 늘 새로운 것으로 도전을 받는다. 일상시는 그런 면에서 취약한 면이 있다. 그런데도 어떤 일상시는 매우 큰 감동을 준다. 그것은 시인은 일상을 새롭게 태어나게 하기 때문이다. 일상의 새로움을 발견하기 때문이다. 또한 일상과 생활 속에서 찐득한 삶의 아픔에 대한 교감, 공감, 연민 의식 때문이다. 일상은 얕은 듯 깊다. 깊고도 깊다. 체험적 성찰의 깊이는 깊고 깊다. 일상은 밋밋한 듯하지만 강한 충격을 주어서 헤어나지 못하게 만들기도 한다. 교감하고 합치하고 아픔을 공감한다. 일상과 생활 속에는 삶의 보물이 숨겨져 있다. 일상시는 대상의 비밀을 캐내는 작업이기도 한 것이다. 그의 시는 한편 쉬운 언어와 평범한 생활

소재를 이용해 우리 삶의 일상성 영역을 개척했다. 독거노인이 느끼는 삶의 애환, 떨어져 살아가는 자식 걱정, 혼자 사는 삶의 습관. 그 중심에 연민과 삶에 대한 긍정성이 있다. 그의 시는 언뜻 보면 쉬운 것 같지만 읽을수록 마음속에 더 큰 여운을 남긴다. 독거노인의 구체적 체험을 평이한 언어로 형상화한 시편들은 아프고, 쓸쓸하고, 고독하고, 서럽지만 힘차게 견디고 긍정적으로 살아가는 명랑한 모습에서 많은 공감대가 형성된다.

일생의 시작과 끝이
강 건너 오고 감인가
별안간 아우가 죽고
소나무 밑에 한 줌의 흙으로 돌아갈 때
인생은 거짓말이라는 것을 읽었다.
나무와 화초를 좋아한 아우여
그래, 그래
한 그루 정정한 소나무로 환생하라
그 소나무 그늘에서 산 사람은 돗자리 깔고
밥도 먹고 술도 마시리라
다시 밀어내고 싶은 한 해는 오고
거스를 수 없는 이 엄살 많은 인생,
산골짝 너럭바위에 앉아
갈 지 자로 흐르는 물 오래 굽어본다

물굽이마다 물소리 두터워져서
먹먹해지는 귀,
욕심도 없고 지능도 없는
바위가 되어본다.

—「물소리」 전문

아우가 먼저 죽고 하늘숲공원 7–77–A 소나무 아래에 수목장을 했나 보다. 「소나무를 아우라 불렀다」에 아우의 수목장 장례식 장면이 구슬프게 나온다. 「물소리」는 아우의 죽음을 노래한 연작이라고 보아도 무방하다. 아우를 먼저 보내고 소나무 그늘에서 술을 마신다. 이승의 짧은 생을 '인생은 거짓말'이라고 읽는다. '거스를 수 없는 엄살 많은 인생'이라고 허탈해한다. 그는 소나무가 되고, 흙이 되고, 물소리가 되고, 바위가 되겠노라 생각한다. 그러나 인간의 삶은 얼마나 부질없는가.

연애하고 싶은 로맨티스트 야생 시인

나석중 시인은 근력이 남다르다. 총기가 대단하다. 자기관리가 철저하다. 밥을 꼬박 챙겨 먹고, 여행도 자주 다니고, 사람을 자주 만나고, 시를 쓰고, 돌을 캐고, 야생화를 만나러 다닌다. 한가할 틈이 없을 정도다. 부지런하고 근면한 천성을 타고 나셨다. 그래서 건강하고, 활달하고, 근력이 있고, 걸음걸이가 가볍고, 눈빛이 초롱초롱하고, 명석하다. 오랫

동안 혼자 살아왔지만 특별한 염문을 뿌리거나 생활이 문란한 모습은 전혀 없다. 언제나 단정하고, 머리를 곱게 빗고, 모자를 쓰고 다니며, 청바지를 즐겨 입는다. 인자하고 세련된 외모를 지니셨고, 언변은 따스하고 친밀감이 있다. 뭍 여성들에게 인기가 많았을 것 같지만, 그는 아름다운 로맨티스트일 뿐 순정하고 순전한 사랑의 방정식을 고집하며 살아가고 있는 것 같다.

초면에 말 붙여오는
당당한 사랑은 들키고 싶은 속성이 있는 것인지

겹겹으로 무장한 밤톨 같은 노인이 휙 돌아보며
묻지도 않았는데 당신 나이 올해 96세라 하시네
나 당신 뒤를 걸어가다가 순간 황당했으나
이내 웃으며 어디 가시느냐고 웃으며 물었더니
애인 만나러 간다며 밤꽃을 피웠네
애인은 연세가 얼만지 또 물으니 90이라 하시며
왜 무슨 할 말이라도 있냐는 듯
눈 치켜뜨고 기세도 당당히 웃는 낯빛이 붉었네

일찍 사랑을 포기한 사내는 사내도 아니라고 난
느슨한 허리띠 졸라맸네

–「밤꽃」 전문

우거진 숲속에서
검은등뻐꾸기 소리를
벙어리뻐꾸기 소리가 덮어쓴다

조물주가 하나 실수한 것은
늙어 단풍 든 몸에 마음은 초록이라는 것

푸르른 날의 성급한 연애보다도
인제는 늦은 만큼 철든 연애할 수 있다

인두를 품은 화로 같은 연애를
불쑥 시린 손 내밀어
쬐고 싶은 내 당신

–「연애하고 싶다」 전문

그는 철부지 연애를 하는 것이 아니라 철든 연애를 한다. 그는 육체가 허락하는 한 육체적 사랑을 지고지순하게 하려고 한다. 그는 자연 대상물이 지닌 건강한 사랑, 건강한 육체적 사랑, 건강한 정서적 사랑을 늙어서도 꿈꾼다. 사랑의 속성은 무궁무진하게 다양하겠지만 황홀한 사랑, 화로 같은 사랑, 밤꽃 향기 같은 사랑, 사랑을 꿈꾼다. 사랑을 당당하게 나누어야 진정 인간답게 사는 것이다. 정신은 별개로 있는 게 아니라 성 속에 육체와 함께 존재한다. 성은 육체나 정신 자체다. 사랑은 예술의 총합이며 삶의 근본적인 목적일 것이다. 나석중 시인의 사랑, 연애는 인간만의 속성이 아니라 생명 있는 것들의 모든 속성에 해당한다. 또한 그의 사랑과 연애는 플라톤이 정의한 4가지의 사랑이 모두 융합된 사랑이다. 육체적 사랑Eros, 도덕적 사랑Philia, 정신적(신앙적) 사랑Stergethron, 그리고 무조건적인 사랑Agape이 다 얽혀 있다.

들풀, 들꽃, 물, 돌에 대한 사랑과 경건함과 도덕적이고 정신적인 사랑이 남녀 관계의 인간에 대한 사랑만큼이나 뜨겁다. 그래서 나석중 시인은 영원한 야생 시인이다. 생태주의적 시인이며, 자연 시인이며, 인본주의적인 시인이며, 구도 시인이며, 로맨티스트 시인이며, 연애 시인이다.

연애 시인이여! 로맨티스트 시인이여! 앞으로도 더욱 강건하시고, 총명한 기운으로 더욱 좋은 시편들을 쏟아내시기를 간절히 바란다. 구도 시인이여! 인본주의적 시인이여! 나의 시벗이여! 나의 시 친구여! 나의 어른이시여! 내가 존경하고 본받을 모범이시여! 생태주의적 시인이여! 나의 롤 모델이시여! 오래오래 건강하시고 죽는 그 날까지 미친 듯 시를 쓰시기를 바란다.

ⓒ 나석중, 2023

노루귀

초판 1쇄 발행 2023년 04월 20일

지은이 나석중
펴낸이 조기조

펴낸곳 도서출판 b
등　록 2003년 2월 24일 (제2006-000054호)
주　소 08772 서울시 관악구 난곡로 288 남진빌딩 302호
전　화 02-6293-7070(대) 팩시밀리 02-6293-8080
누리집 b-book.co.kr 전자우편 bbooks@naver.com

ISBN 979-11-92986-03-6 03810
책　값 12,000원

* 이 책 내용의 일부 또는 전부를 재사용하려면 저작권자와 도서출판 b 양측의 동의를 얻어야 합니다.
* 잘못된 책은 구입한 곳에서 교환해드립니다.